homme/femme, mode d'emploi

Si l'on en croit une légende chinoise, les humains ont été créés par une déesse. À l'origine, ils étaient asexués et parfaitement semblables. Comprenant qu'ils étaient privés de descendance, la divinité les dota alors d'un sexe distinct. Selon la Bible, les humains ont été créés par un Dieu masculin qui a d'abord façonné l'homme, puis la femme. Quant à la science, elle nous enseigne une tout autre histoire des origines de l'Homme.

Pour ma part, j'avoue avoir été souvent confrontée, plus ou moins directement, à quelques problèmes de communication entre les deux sexes, aussi bien dans ma vie privée que professionnelle. En tant que femme active mariée et mère de famille, je constate combien sont nombreuses les différences – petites et grandes – entre l'homme et la femme, et ce malgré l'éternel débat nourri par cette question et en dépit d'une définition des rôles sans cesse revisitée. Certaines de ces différences sont le reflet de préjugés ancestraux, d'autres sont conditionnées par la structure de la société ou le monde du travail.

Aussi, j'ai conçu ce petit ouvrage comme un témoignage de ma propre perception des choses sur ce thème. En espérant qu'il nous incitera toutes et tous à aborder le sujet avec un peu d'humour et qu'il nous aidera au quotidien à voir et à considérer les choses avec un regard neuf.

– Yang Liu

l'homme pense que
la femme veut ...

la femme pense que
l'homme veut …

« allô Nicolas ? c'est Mathieu »

« allô Virginie ? c'est Emma »

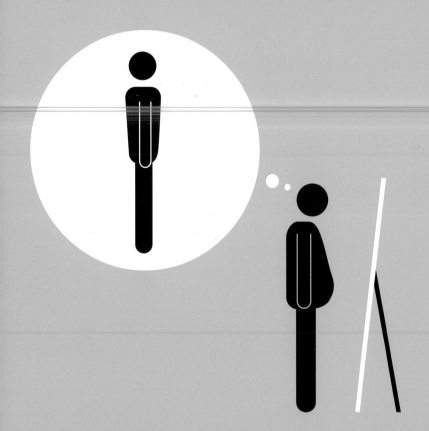

devant le miroir

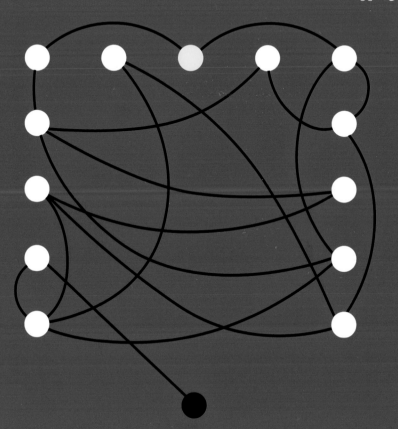

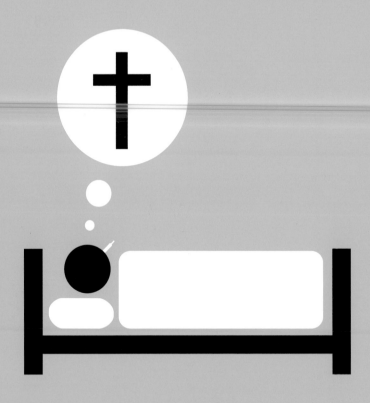

discussion intime

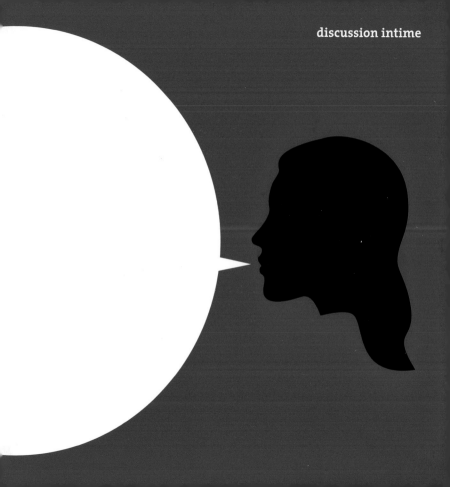

discussion professionnelle

discussion professionnelle

besoin

achat

besoin

achat

besoin

achat

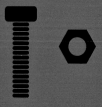

besoin

achat

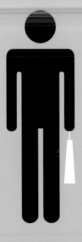

shopping en couple

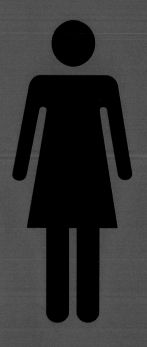

objets mystérieux

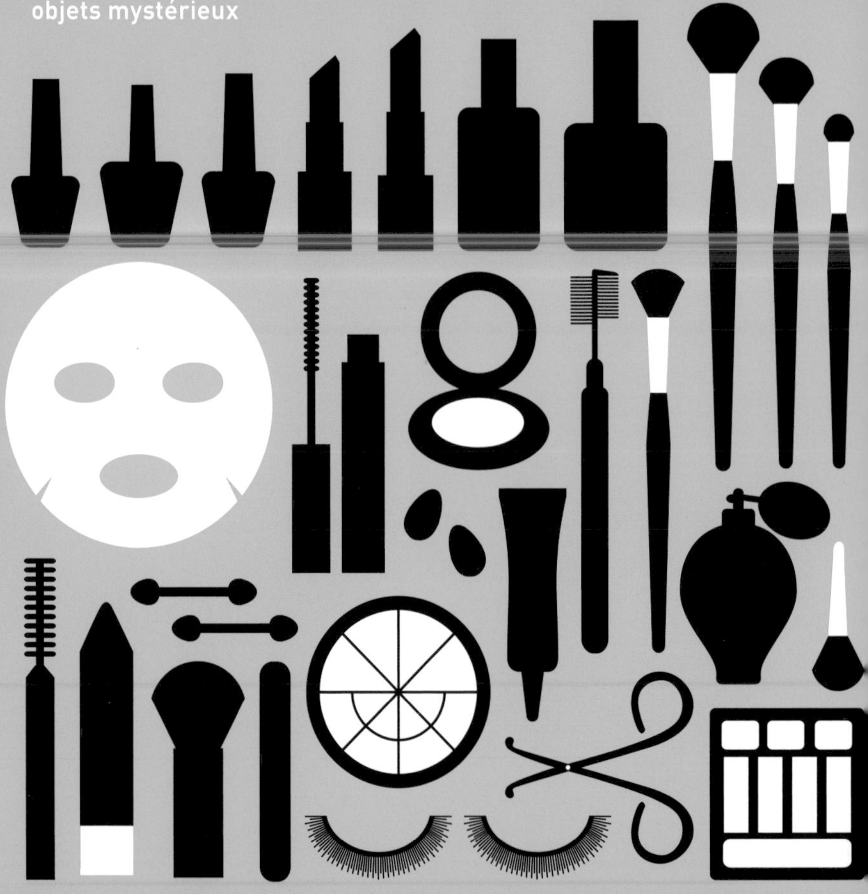

objets mystérieux

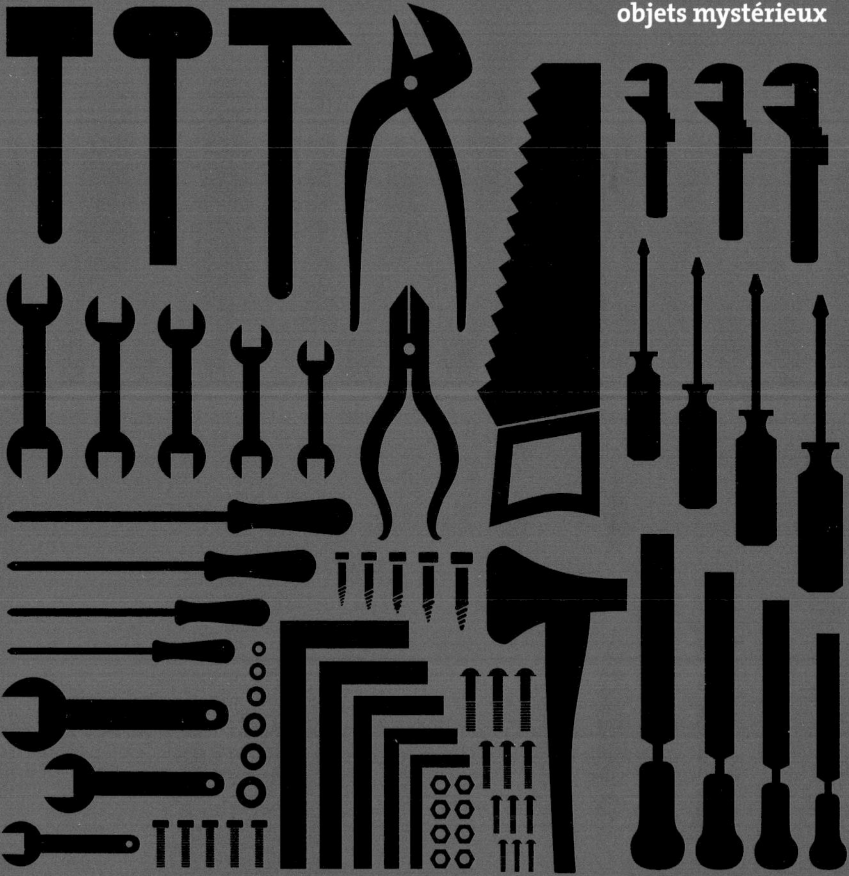

arme fatale

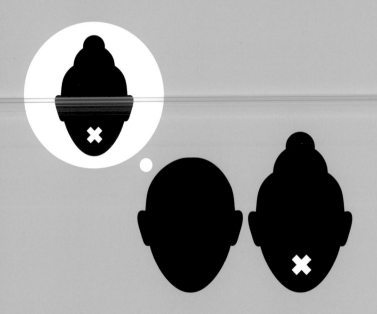

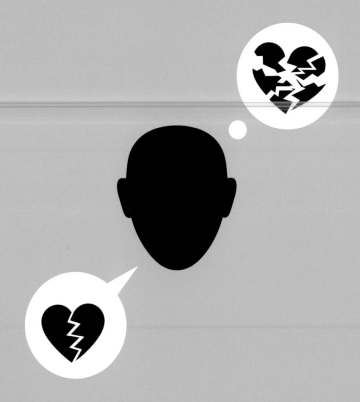

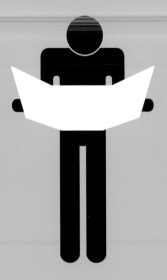

il indique le chemin

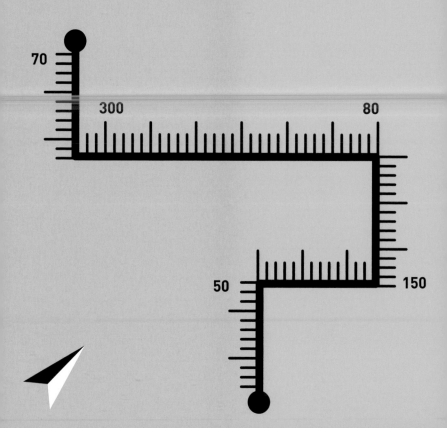

il va aux toilettes

elles vont aux toilettes

bagage

mélodrame

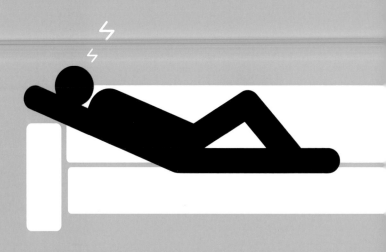

film d'action

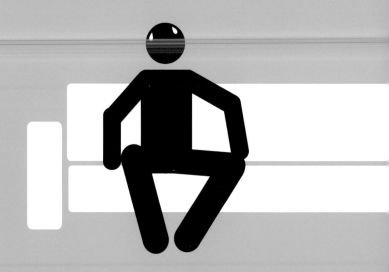

il se prépare pour sortir

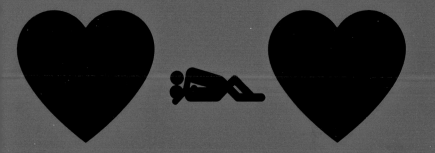

la soirée idéale

la soirée idéale

partenaire désiré

15 **20** **30**

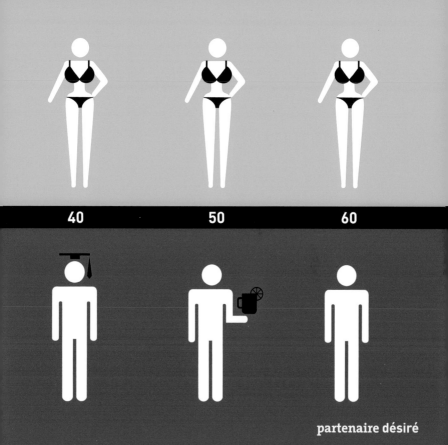

40 50 60

partenaire désiré

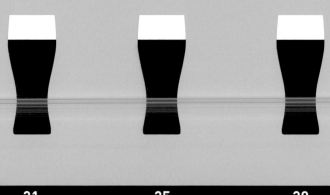

côté boisson

21 25 30

35   40   50

côté boisson

l'âge idéal pour se marier

25 30 40

18 25 30

18 25 30

50 60 18

40 50 60

40 50 60

l'âge idéal pour se marier

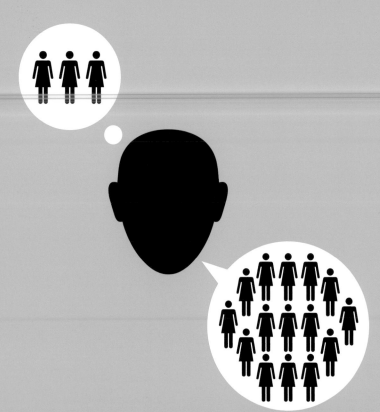

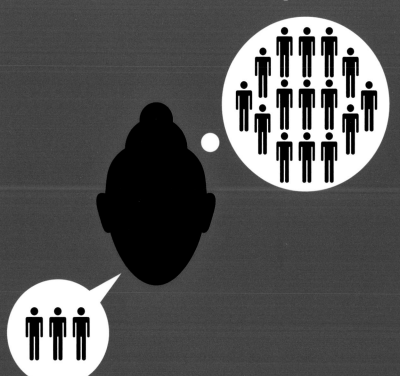

amour

mariage

bébé arrive…

bébé est arrivé !

avant

après

avant

après

Visibilité sociale : deux hommes qui s'aiment

Il le veut

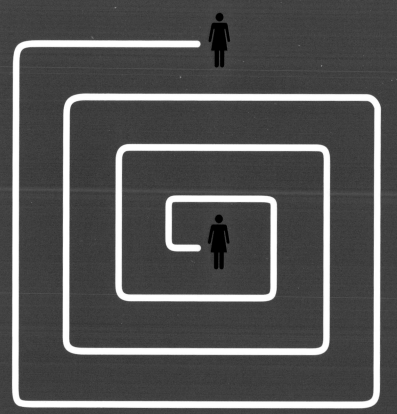

magazine masculin

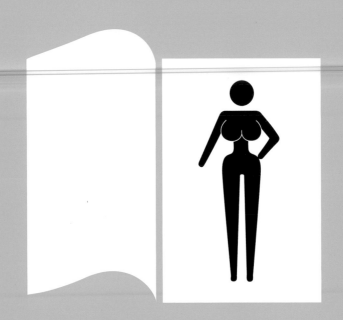

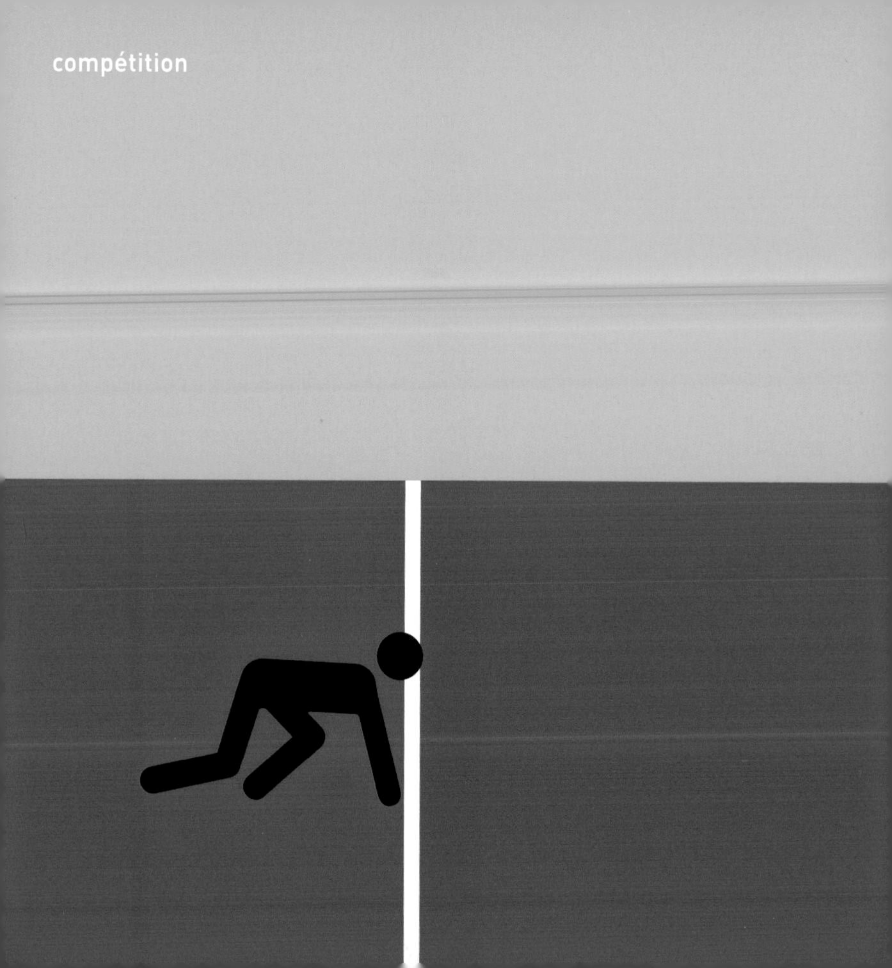
compétition

compétition

homme à succès cherche partenaire idéale

la femme de ses rêves

l'homme de ses rêves

la femme idéale, selon l'homme à succès

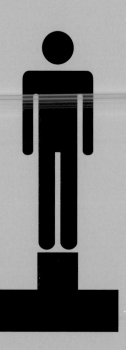

dans les yeux des autres

Prétentions salariales

le chef idéal

le chef idéal

bon père de famille

mère indigne

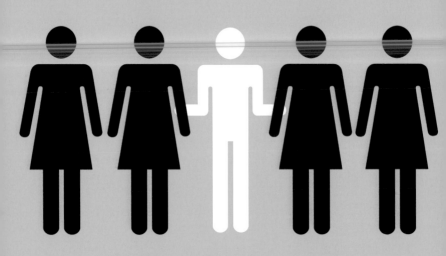

charmeur

fille facile

homme moderne

ménagère popote

violence

tempérament

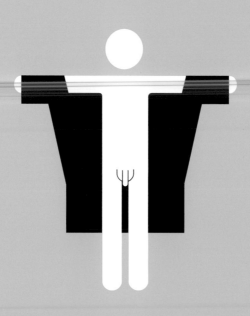

malade

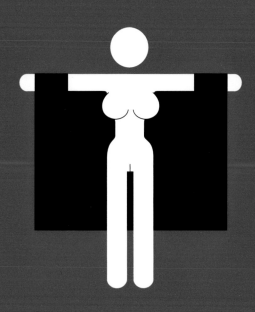

sexy

perversion

culot

macho

fort caractère

homme bizarre

femme normale

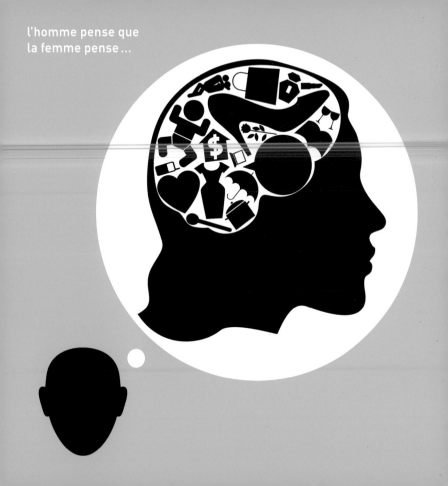

l'homme pense que
la femme pense …

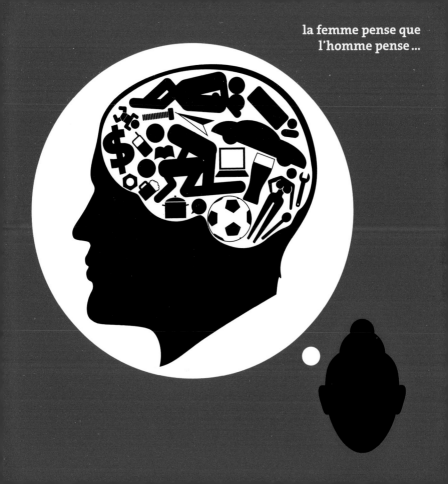

la femme pense que
l'homme pense ...

En 2008, j'ai eu l'idée de créer un livre sur les différences entre les sexes. Je voulais faire le point sur ma façon d'appréhender la question des différences homme/femme afin de conserver une trace de cette nouvelle vie qui s'ouvrait devant moi, à partir de mon mariage. Il m'a fallu six ans pour donner au livre sa forme actuelle.

Nous vivons dans une société en perpétuelle mutation, dans laquelle la prise de conscience de la question du genre évolue à une vitesse folle. Les représentations traditionnelles des rôles sont remises en question par chaque nouvelle génération. Dans le monde entier, les individus aspirent à rompre avec les structures existantes et militent pour plus de tolérance et d'égalité, y compris dans les domaines de l'orientation sexuelle, de la culture ou de religion.

Il est intéressant de noter combien les clichés sur les différences entre l'homme et la femme ont évolué dans notre quotidien, même si certains attributs souvent séculaires associés aux genres restent bien ancrés dans la société actuelle. Intéressant aussi de constater que si la révolution des rôles est déjà entrée dans les consciences, elle est toujours en gestation dans les faits.

J'espère avoir ainsi livré une suite digne de *East Meets West* (*Ost trifft West*) qui permettra à mes lecteurs et à moi-même de nourrir et d'enrichir nos échanges.

Yang Liu est née à Pékin en 1976. Après des études à l'Université des arts de Berlin (UdK), elle a travaillé comme designer à Singapour, Londres, Berlin et New York. En 2004, elle a fondé son propre studio de design où elle exerce jusqu'à ce jour. En dehors des ateliers et des présentations effectués dans le cadre de conférences internationales, elle enseigne dans de nombreuses écoles supérieures dans le monde. En 2010, elle a obtenu une chaire à l'Université des arts techniques de Berlin (BTK). Ses travaux ont été récompensés à plusieurs reprises lors de concours internationaux. Ils ont rejoint des collections de prestige et sont exposés dans les musées du monde entier.

Yang Liu vit et travaille à Berlin.

Remerciements

Onno Zhang
Gong Zhang
Jürgen Siebert
Axel Haase
Benedikt Taschen
Marlene Taschen
Florian Kobler
Angela Kesselring
Susanne Reiher
Hui Bao Chang
Andreas Zumschlinge
Jan Bernd Nordemann
Katharina Wickert
Wolfram Wickert
Nils Schröder
Frank Sieren
Lucas Trabert
Gerry Kunz
Bin Qiu

Merci à vous tous pour votre soutien !

Je tiens à saluer tout particulièrement mes lectrices
et mes lecteurs de *East meets West (Ost trifft West)*
qui m'encouragent et me soutiennent au fil des ans
par leurs nombreux e-mails et courriers.
Merci beaucoup !

Si vous souhaitez être informé des
prochaines parutions TASCHEN,
abonnez-vous à notre magazine gratuit
sur www.taschen.com/magazine, télé-
chargez sur iTunes notre appli Magazine
pour iPad, suivez-nous sur Twitter et
Facebook, ou contactez-nous par e-mail
à l'adresse contact@taschen.com pour
toute question concernant notre
programme de publication.

homme/femme, mode d'emploi
Un livre de **Yang Liu**

Idea/Design © Yang Liu

© Copyright textes
et illustrations par
Yang Liu Design
Torstraße 185 · 10115 Berlin
www.yangliudesign.com

Coordination éditoriale :
Florian Kobler, Berlin
Production :
Frauke Kaiser, Cologne
Adaptation française :
Arnaud Briand, Paris

© 2014 TASCHEN GmbH
Hohenzollernring 53
D–50672 Cologne
www.taschen.com

ISBN 978-3-8365-5400-8

Printed in Italy